Voyages Gourmands

Couscous

NOVéBOOK

Voyages Gourmands

Réalisation et production

Fabien Bellahsen

Daniel Rouche

Photographe

Didier Bizos

Rédaction

Nathalie Talhouas

Élodie Bonnet

Céline Volpatti

Les recettes

Barkoukech du printemps

4 personnes
Facile
Préparation : 1 h
Cuisson : 2 h 05
Trempage des pois chiches : 12 h

Ingrédients

100 g de mhamsa (pâtes)
200 g de semoule fine
400 g de poulpe
1/2 poulet
50 g de sardines séchées
50 g de pois chiches
2 piments séchés
4 gousses d'ail
150 g de fèvettes
20 g de lentilles
1 cuillère à café de carvi
1 cuillère à café de coriandre
en poudre
1 cuillère à soupe de
concentré de tomates
1 cuillère à café de paprika
1 cuillère à soupe de harissa
10 cl d'huile d'olive
Sel, poivre

Coupez le poulpe en morceaux et faites-les cuire 1 h 20 dans de l'eau. Dans un plat, étalez les mhamsa et mouillez-les avec un peu d'eau. Mélangez-les avec les doigts. Ajoutez la semoule fine en pluie tout en continuant de mélanger avec le bout des doigts.

Ajoutez un peu d'eau afin d'obtenir de petites boules de pâte de la grosseur d'un grain de poivre. Découpez le demi-poulet et faites-le revenir dans 10 cl d'huile d'olive. Ajoutez la harissa, le concentré de tomates. Mélangez. Ajoutez les sardines et les pois chiches trempés la veille.

Assaisonnez avec le paprika, le carvi, la coriandre et le sel. Ajoutez les lentilles et recouvrez avec 2 l d'eau. Laissez cuire environ 30 min. Ajoutez les piments entiers, les fèvettes et les morceaux de poulpe. Faites cuire environ 25 min.

Faites cuire les mhamsa à la vapeur du couscoussier, pendant 20 min. Versez dans la préparation, les mhamsa. Ajoutez les gousses d'ail pilées, poivrez. Faites cuire 15 min. Dressez le barkoukech dans un plat en disposant le poulet, le poulpe, les sardines sur les mhamsa.

Bon à savoir :

Le barkoukech désigne le nom des pâtes, travaillées à la main. Légèrement imbibées d'eau, les minuscules mhamsa, mélangées à la semoule fine, prennent au fur et à mesure de l'opération la forme d'un grain de poivre. Notre chef ajoute de l'eau uniquement lorsque les pâtes sèchent entre ses doigts. Ce plat se caractérise aussi par le mélange des saveurs de volaille et de sardines séchées. En aucun cas, il ne doit être réchauffé.

Couscous ā la panse d'agneau farcie

4 personnes
Difficile
Préparation : 1 h 30
Cuisson : 2 h
Trempage des pois chiches : 12 h

Ingrédients

1 kg de panse (tripes)
500 g de couscous fin
2 carottes, 2 navets
1 aubergine
1 bulbe de fenouil
1 courgette
1 tomate, 1 oignon
2 gousses d'ail
1 botte de persil plat
1 botte de coriandre
1 cuillère à café de gingembre
1 cuillère à café de paprika
1/2 cuillère à café de concentré de tomates
200 g de beurre
2 cuillères à soupe de vinaigre blanc
5 cuillères à soupe d'huile végétale
Sel, poivre

Farce pour les panses :

(voir bon à savoir)

Plongez les tripes 2 min dans une casserole d'eau vinaigrée bouillante. Grattez la peau avec la pointe d'un couteau afin de la nettoyer. Découpez les tripes en grosses lanières. Façonnez-les en forme de bourse en les cousant.

Hachez oignon, ail, persil et coriandre. Coupez la tomate pelée et épépinée en petits dés. Pour la farce, mélangez les pois chiches trempés, le riz rincé, les abats coupés en dés, l'ail, l'oignon, le persil et la coriandre hachés. Salez, poivrez. Ajoutez le cumin, le safran et le gingembre.

Farcissez les tripes et cousez l'orifice. Déposez-les dans la marmite. Faites-les dorer avec l'huile. Ajoutez oignon, persil et coriandre hachés, tomate et concentré. Ajoutez les épices, poivre et sel. Versez un peu d'eau. Faites cuire 25 min.

Nettoyez le fenouil, coupez-le en tranches. Épluchez les navets et les carottes. Déposez-les dans la marmite. Laissez cuire 20 min. Ajoutez l'aubergine et la courgette pelée en laissant des bandes de peau. Faites cuire env. 15 min. Fraisez le couscous avec 3 c. à s. d'huile et un peu d'eau. Faites cuire à la vapeur 20 min. Fraisez de nouveau avec l'eau et le sel. Faites cuire 20 min. Renouvelez 1 fois encore l'opération. Beurrez la semoule. Dressez le couscous.

Bon à savoir :

Pour la farce des panses, il vous faudra : 50 g de pois de chiches, 50 g de riz, 100 g de foie d'agneau, 100 g de cœur d'agneau, 1 pincée de safran, 1 c. à c. de gingembre, 1 c. à c. de cumin, 2 gousses d'ail, 1 oignon, 1/2 botte de persil plat, 1/2 botte de coriandre, sel, poivre. Si vous n'êtes pas amateurs d'abats, vous pouvez réaliser la même recette, en remplaçant la panse d'agneau par des morceaux de gigot d'agneau.

Couscous aigre-doux au poulet

6 personnes
Facile
Préparation : 30 min
Cuisson : 2 h 25

Ingrédients

1 poulet de 1,5 kg
1 kg de semoule
250 g de tomates
1 kg d'oignons
250 g de pois chiches
250 g de sucre
250 g de raisins secs
1 cuillère à café de noix
de muscade râpée
1 cuillère à café de
gingembre en poudre
1/2 sachet de gomme
arabique en poudre
1/2 cuillère à café de
cannelle
1 sachet de pistils de safran
20 cl d'huile
1 sachet de colorant rouge
50 g de beurre salé
100 g de beurre doux
Sel, poivre

Pochez les pois chiches, trempés la veille, 30 min. Puis épluchez-les. Épluchez et émincez les oignons. Râpez les tomates. Coupez le poulet en 2 par le ventre, puis en 4 gros morceaux.

Dans une grande casserole, mélangez les morceaux de poulet avec un oignon émincé, les tomates râpées, l'huile, la muscade râpée, le gingembre et le safran. Salez et poivrez. Arrosez avec 1 l d'eau. Couvrez, et laissez cuire 30 min.

Dans une autre casserole, disposez les autres oignons émincés et ajoutez 1/2 verre d'eau. Saupoudrez de colorant rouge, et laissez fondre 5 min sur feu doux. Ajoutez alors le sucre, le beurre doux, les raisins trempés la veille, la cannelle, la muscade et la gomme arabique. Mélangez à la spatule 15 à 20 min sur feu doux, jusqu'à ce que la préparation prenne une jolie couleur de caramel.

Travaillez la semoule dans un plat avec 35 cl d'eau et du beurre salé, puis faites-la cuire à la vapeur en 3 phases de 20 min chacune. Disposez la semoule sur un plat de service. Décorez de préparation aux raisins et posez le poulet en sauce sur le sommet. Parsemez de pois chiches.

Bon à savoir :

Traditionnel du vendredi, le couscous connaît dans le royaume marocain une infinité de variétés. Ce couscous au poulet représente l'une des plus succulentes recettes aigre-douce. Le poulet cuit dans un beurre épicé au safran, se cache sous un dôme de semoule recouvert d'une sauce aux oignons et raisins confits au beurre et parfumé de cannelle. Vous pouvez réaliser la même recette avec de l'agneau ou du bœuf.

Couscous au poulet et boulettes

4 personnes
Très facile
Préparation : 50 min
Cuisson : 1 h 45

Ingrédients

1/2 poulet
500 g de semoule moyenne
200 g de carottes
200 g de pommes de terre
200 g de courgettes
200 g de courge
100 g de pois chiches
4 artichauts, 1 oignon
4 piments verts et 1 rouge
50 g de concentré de tomates
1 cuillère à café de carvi
1 pincée de pistils de safran
1 cuillère à café de paprika
15 cl d'huile d'olive
Sel, poivre

Farce des boulettes :

550 g de bœuf haché
2 gousses d'ail, 1 oignon
2 œufs, 100 g de persil
100 g de gruyère râpé
1 cuillère de menthe séchée
1 cuillère à café de carvi
20 g de farine, huile

Lavez les courgettes. Tournez les artichauts jusqu'au fond, enlevez le foin. Tournez les courgettes, pommes de terre, carottes. Coupez la courge. Faites cuire à part 40 min les pois chiches trempés une nuit. Découpez le poulet. Assaisonnez-le avec sel, poivre, carvi et paprika.

Préparez la semoule en la salant. Ajoutez 1 filet d'huile d'olive et un peu d'eau. Fraisez-la. Faites-la cuire à la vapeur du couscoussier 15 min. Pour le bouillon, faites revenir dans 10 cl d'huile d'olive, l'oignon émincé, concentré de tomates, poulet et safran. Mouillez avec de l'eau. À ébullition, ajoutez les carottes. 10 min après, ajoutez les autres légumes. Laissez cuire 20 min.

Fraisez de nouveau la semoule, faites-la cuire encore 15 min. Préparez la farce des boulettes : mélangez la viande, le gruyère, la menthe, le persil et l'oignon hachés, les gousses d'ail écrasées, 1 œuf, le carvi. Salez, poivrez, mélangez. Façonnez des petites boulettes en mettant au fond du plat un peu de farine.

Cassez l'œuf restant, battez-le. Roulez les boulettes dans la farine et l'œuf battu. Saisissez-les dans de l'huile de friture. Faites frire les piments. Ajoutez les boulettes, les pois chiches et les piments dans le bouillon. Laissez cuire 5 min. Dressez le couscous dans un plat.

Bon à savoir :

Pour réaliser ce couscous préférez un poulet fermier, élevé au grain. Les boulettes peuvent être préparées, selon les goûts avec de la viande hachée de bœuf ou d'agneau. Très parfumées, ces dernières dévoilent un subtil mélange de menthe, persil, ail, oignon et carvi. Le chef vous conseille de faire tremper dans du jus de citron les fonds d'artichauts, pour éviter qu'ils ne s'oxydent.

Couscous au yazoul

4 personnes
Facile
Préparation : 25 min
Cuisson : 50 min

Ingrédients

500 g de semoule moyenne
6 bottes de yazoul
30 cl d'huile d'olive
2 cuillères à soupe de tomates séchées
2 cuillères à soupe de concentré de tomates
1 cuillère à soupe de harissa
1 cuillère à café de piment moulu
4 piments en saumure (filfil masayar)
4 piments soudanais (filfil bar âbid)
1 gousse d'ail
1 cuillère à café de carvi
Sel
Poivre

Versez la semoule dans une terrine. Avec les doigts, aspergez-la avec un peu d'eau froide, en remuant au fur et à mesure. Brassez la semoule du bout des doigts jusqu'à ce qu'elle ait bien absorbé l'eau. Remplissez d'eau la partie basse du couscoussier. Portez à ébullition.

Placez la passoire avec la semoule par-dessus. Faites-la cuire 20 min à la vapeur. Transférez la semoule dans un plat. Humidifiez-la de nouveau en remuant avec les doigts. Hachez les bottes de yazoul avec un couteau. Remettez la semoule dans la passoire. Ajoutez les morceaux de yazoul. Faites cuire de nouveau 20 min à la vapeur.

Faites chauffer l'huile d'olive dans une casserole. Coupez les filfil masayar en 2 dans la longeur. Faites-les frire dans l'huile chaude. Réservez. À leur place, faites mijoter un instant dans l'huile les tomates séchées, le concentré de tomates, la harissa délayée dans un verre d'eau, l'ail écrasé, piment moulu, carvi, sel, poivre.

Ajoutez ensuite les filfil masayar et bar âbid, mouillez, faites cuire encore 5 min. Versez la semoule dans une terrine. Enlevez les piments de la sauce, versez-la sur la semoule mélangez bien. Décorez de lanières de piment et de tiges de yazoul.

Bon à savoir :

Le couscous au yazoul est un plat végétarien propre à la région de Mahdia, sur la côte Est de la Tunisie. La plante qui donne son nom au plat, le yazoul, ressemble à un oignon vert très fin et son odeur évoque celle du poireau. Vous pouvez éventuellement le remplacer par du jeune poireau ou de l'oignon vert.

Couscous aux calamars farcis

6 personnes
Difficile
Préparation : 1 h
Cuisson : 1 h
Trempage des pois chiches : 12 h

Ingrédients

4 calamars de 150 g chacun
500 g de semoule fine
10 cl d'huile d'olive
1 œuf, 50 g de riz
50 g de foie d'agneau
50 g de pois chiches
50 g d'oignons
50 g de persil plat
300 g de feuilles d'épinards
50 g d'aneth frais
4 gousses d'ail
60 g de concentré de tomates
30 g de paprika doux
30 g de curcuma moulu
2 pommes de terre
2 ou 3 clous de girofle
30 g de harissa
1 pincée de menthe sèche
Sel, poivre

Séparez poches et tentacules de calamars (réservez les poches nettoyées). Blanchissez tentacules et foie d'agneau à l'eau salée, détaillez-les en cubes. Faites cuire le riz à moitié. Hachez oignon, persil, aneth et ail.

Versez-les dans un plat (réservez la moitié d'ail et d'oignons). Ajoutez le riz, menthe, harissa, œuf cru, sel, poivre, curcuma et épinards ciselés. Mélangez avec les doigts jusqu'à l'obtention d'une farce.

Ouvrez une poche de calamar. Remplissez-la de farce au riz. Fermez l'extrémité avec une pique en bois. Garnissez les trois autres poches. Percez-les en plusieurs endroits avec l'extrémité d'une pique. Réservez.

Versez la semoule dans une terrine. Ajoutez un peu d'eau froide et 1 filet d'huile d'olive, en humectant du bout des doigts au fur et à mesure. Ajoutez les clous de girofle. Dans le bas du couscoussier, faites rissoler oignon et ail réservés. Ajoutez le concentré de tomates, paprika, eau, portez à ébullition. Plongez calamars et pois chiches. Portez à ébullition. Au-dessus, posez la passoire de semoule, faites cuire 15 min. Humectez la semoule de jus de cuisson et plongez les pommes de terre dans la sauce. Refaites cuire 15 min.

Bon à savoir :

Pour farcir les calamars, le riz devra juste être mi-cuit. Une fois à l'intérieur des "poches" de calamars, il aura tout le temps de terminer sa cuisson, et conservera ainsi texture et saveur. À la fin de la cuisson, versez la semoule dans un plat, arrosez de sauce, couvrez et laissez reposer. Décorez de rondelles de calamars et de piments frits.

Couscous aux deux viandes

4 personnes
Facile
Préparation : 30 min
Cuisson : 50 min
**Trempage des pois
chiches : 12 h**

Ingrédients

2 morceaux d'épaule de veau
soit 350 g
2 cuisses de poulet
500 g de couscous fin
1 oignon
100 g de pois chiches
2 courgettes
1/2 cuillère à café de
cannelle
6 cl d'huile
100 g de beurre
Sel
Poivre

Épluchez l'oignon et hachez-le. Lavez les courgettes et essuyez-les. Épluchez-les en conservant des bandes de peau en alternance avec la chair pelée. Coupez-les en tronçons de 8 cm, puis coupez chaque tronçon dans le sens de la longueur.

Faites chauffer la moitié du beurre et 2 c. à s. d'huile dans le bas du couscoussier. Ajoutez les morceaux de veau, les cuisses de poulet, l'oignon haché, la cannelle, salez et poivrez. Mouillez avec 15 cl d'eau, portez à ébullition et faites cuire pendant 10 min sur feu vif.

Mouillez la préparation avec 1,5 l d'eau. Ajoutez aussitôt les pois chiches trempés. Portez à ébullition, et poursuivez la cuisson sur feu moyen et à couvert, pendant 20 min. Versez le couscous dans un plat large, arrosez d'un verre d'eau et d'1 c. à s. d'huile, puis mélangez à la main pendant quelques minutes.

Versez dans la partie haute du couscoussier, et faites cuire à couvert jusqu'à ce que la vapeur s'échappe du couvercle. Ajoutez les courgettes dans le bouillon, poursuivez la cuisson 15 min. Versez la graine cuite dans un plat large, salez, arrosez d'eau et d'1 c. à s. d'huile, et travaillez de nouveau. Remettez à cuire 10 min, beurrez avant de servir.

Bon à savoir :

Avant de cuire le couscous, prenez le temps de le travailler avec les mains, en glissant les doigts, paumes ouvertes, dans la graine, et en la soulevant puis en la roulant entre les paumes : cela permet de bien l'imprégner d'eau et d'huile. Prenez un peu plus de temps pour la deuxième phase du travail de la graine, après la première cuisson, car celle-ci aura quelque peu collé dans le couscoussier.

Couscous aux oignons confits et raisins secs

8 personnes
Facile
Préparation : 1 h 30
Cuisson : 4 h

Ingrédients

1 kg de semoule moyenne
2 kg de bœuf (macreuse, paleron)
1 bâtonnet de cannelle
3 kg d'oignons
1 bouquet de coriandre
1 kg de raisins blancs secs
1 bouquet de persil
100 gr de sucre semoule
10 g de miel
2 cuillères à café de safran en poudre
50 cl d'huile végétale
Sel
Poivre

Dans la marmite du couscoussier, mettez la viande de bœuf. Ajoutez la botte de persil et coriandre, 1 oignon coupé en 2, 1 c. à c. de safran. Salez, poivrez. Versez 15 cl d'huile végétale et 2 l d'eau. Laissez cuire 4 h.

Épluchez tous les autres oignons. Coupez-les en lamelles et mettez-les dans une marmite. Ajoutez le bâtonnet de cannelle. Quand les oignons commencent à suer, ajoutez 10 cl d'huile végétale, le sucre, le sel et le restant de safran. Laissez confire 2 h.

Quand les oignons ont perdu toute leur eau, ajoutez les raisins secs et le miel. Laissez compoter environ 1 h. Réservez. Préparez la semoule en l'imbibant légèrement d'eau et en la fraisant entre les paumes de la main.

Malaxez la semoule en l'imbibant d'huile végétale et continuez à la fraiser entre les paumes des mains. Faites cuire la semoule 1 h dans la passoire du couscoussier en renouvelant 6 fois de suite, les opérations de fraisage avec l'eau et l'huile. Dressez le couscous dans un plat. Présentez à part le bouillon.

Bon à savoir :

La principale difficulté de ce plat réside dans la préparation de la semoule. Vous devez impérativement la travailler à la main en la malaxant avec de l'huile végétale et en l'imbibant d'eau. Cette opération primordiale doit être renouvelée entre chaque cuisson à la vapeur. Nous vous conseillons pour le confit d'oignons , d'utiliser la variété "jaune paille des vertus". Choisissez des oignons sans germes ; le bulbe dur et fermé.

Couscous belboula

4 personnes
Facile
Préparation : 40 min
Cuisson : 1 h 50
Trempage des pois chiches : 12 h
Réhydratation de la semoule : 15 min

Ingrédients

700 g de semoule d'orge
800 g de côte de bœuf
400 g de navets
500 g de tomates
400 g de courgettes
500 g de potiron
150 g de pois chiches
2 oignons
15 brins de persil
15 brins de coriandre
1 sachet de colorant rouge en poudre
50 g de beurre salé
1 cuillère à soupe de poivre moulu
Huile d'arachide
Sel

Avant le repas, réhydratez la semoule 15 min. Épluchez les légumes et coupez-les en cubes. Hachez oignons et tomates. Égouttez la semoule, versez-la dans le haut du couscoussier. Découpez la viande en cubes et versez-la dans le fond du couscoussier.

Ajoutez le colorant rouge, 1 bouquet de persil et coriandre, poivre, sel, oignons, pois chiches trempés la veille, tomates, 10 g de beurre salé et huile. Laissez cuire 10 min. Lorsque la viande est bien revenue, versez 3 l d'eau froide. Couvrez. Portez à ébullition.

Dès que la sauce bout, posez le haut du couscoussier sur la partie basse, et faites cuire 30 min. Après ce temps, ajoutez dans la sauce les navets. Versez la semoule dans un plat. Du bout des doigts, travaillez la semoule délicatement avec de l'eau froide. Incorporez du beurre salé.

Remettez à cuire 2 fois à la vapeur 20 min, en travaillant à chaque fois la semoule. Après ce temps, ôtez la semoule du couscoussier. Ajoutez les courgettes et le potiron dans la sauce. Laissez cuire encore 30 min. Disposez la semoule en dôme sur un plat de service, en formant un puits. Garnissez-la de viande et de légumes.

Bon à savoir :

Dans cette préparation plutôt rustique, la garniture se fait beaucoup plus simple que celle du célèbre couscous d'agneau aux sept légumes : navets, courgettes, potiron, pois chiches et tomates se partagent la vedette dans l'assiette. Après le dressage, les convives doivent apercevoir la couronne de couscous, puis la couronne de légumes et enfin la viande au centre.

Couscous Berbère

4 personnes
Difficile
Préparation : 1 h
Cuisson : 1 h
Macération : 20 min
Trempages des pois chiches : 24 h

Ingrédients

4 morceaux de viande de veau (filet ou jarret) soit 800 g
500 g de couscous fin
2 oignons
3 tomates mûres
200 g de courgettes
200 g de haricots verts
1 botte de cardons
50 g de pois chiches
1 cuillère à soupe de concentré de tomates
1/2 cuillère à soupe paprika
5 cuillères à soupe d'huile d'olive
Sel, poivre

Épluchez les oignons et coupez-les en rondelles. Dans un couscoussier, disposez les morceaux de viande avec les rondelles d'oignons, les pois chiches, le paprika, 2 c. à s. d'huile d'olive, sel et poivre. Laissez macérer 20 min. Épluchez les tomates et coupez-les en dés, puis délayez le concentré de tomates dans 15 cl d'eau.

Au terme de la macération, ajoutez les dés de tomate ainsi que le concentré délayé. Mélangez, puis versez 2 l d'eau . Portez à ébullition, couvrez et laissez cuire à feu moyen 30 min. Retirez les fils des haricots verts. Nettoyez les cardons, gardez que les côtes.

Coupez les haricots et les cardons en tronçons de 8 à 10 cm. Ajoutez-les à la viande, et poursuivez la cuisson 20 min. Versez le couscous dans un plat très large, arrosez d'un verre d'eau et d'1 c. à s. d'huile, puis mélanger à la main.

Versez la graine dans la partie haute du couscoussier, faites-la cuire à couvert jusqu'à ce que la vapeur s'échappe du couvercle. Disposez les courgettes en tronçons de 10 cm dans la partie basse du couscoussier. Continuez la cuisson 15 min. Salez la graine cuite, arrosez d'eau et d'huile et travaillez de nouveau. 10 min avant la fin de la cuisson de la viande, remettez-la à cuire.

Bon à savoir :

Le chef vous recommande de débuter la macération la veille, et ce pour 24 h : ainsi marinée, la viande s'attendrit et gagne en parfum. Pour cette recette, faites tremper les pois chiches secs dans l'eau froide pendant 24 h, et précuisez-les dans l'eau bouillante pendant 30 min environ avant de les ajouter à la préparation. Vous pouvez utiliser des pois chiches en conserve, dans ce cas, ajoutez-les en milieu de cuisson.

Couscous bil meslene

8 à 10 personnes
Très facile
Préparation : 20 min
Cuisson : 45 min
Trempage des pois chiches : 12 h

Ingrédients

1 kg de semoule fine
200 g de concentré de tomates
150 g de pois chiches
1 selle d'agneau non désossée
3 tomates
500 g de carottes fanes
500 g de pommes de terre
2 oignons
50 g de harissa
2 piments verts
4 gousses d'ail
10 cl d'huile d'olive
Sel
Poivre

Pelez et émincez les oignons. Dans une casserole, faites-les suer sans coloration avec 8 cl d'huile d'olive, pendant 3 min. Ajoutez l'ail écrasé. Mélangez avec une spatule en bois. Mondez et épépinez les tomates. Coupez-les grossièrement et ajoutez-les à la préparation d'oignons et d'ail avec le concentré de tomates. Salez.

Parez la selle d'agneau. Ajoutez-la entière dans la casserole ainsi que les pois chiches trempés préalablement pendant 12 h. Ajoutez la harissa. Mouillez plus qu'à hauteur d'eau froide et laissez cuire 40 min.

Aux 3/4 de la cuisson, ajoutez les carottes fendues en 2 et les pommes de terre coupées en 2. 5 min avant la fin, mettez les piments. Versez la semoule dans un plat. Huilez-la avec 2 cl d'huile d'olive. Salez. Mélangez avec la main et versez 30 cl d'eau chaude. Laissez imbiber.

Entre les paumes des mains, fraisez la semoule et versez-la dans la passoire du couscoussier. Laissez cuire 10 min à couvert. Ôtez le couvercle, cuisez 10 min. Poivrez le bouillon. Dressez dans un plat, en mouillant la semoule avec le bouillon et découpez la viande.

Bon à savoir :

Par commodité, la selle peut être présentée déjà découpée dans les assiettes. Si vous la détaillez, notre chef vous conseille de faire rissoler les morceaux avant de les incorporer aux légumes. Vous pouvez faire frire les piments en lamelles pour atténuer leur goût épicé. Le chef vous suggère aussi de remplacer le poivre par de la cannelle, dont l'arôme s'avère plus puissant.

Couscous complet au jarret de veau et fèves

10 personnes
Facile
Préparation : 30 min
Cuisson : 1 h

Ingrédients

1 kg de semoule de blé dur concassé
2 kg de jarret de veau
300 g d'oignons
1 bouquet de persil plat
1 bouquet de coriandre
5 pistils de safran
1 sachet de colorant safran
1 cuillère à café de gingembre moulu
100 g de smen (beurre rance)
2 kg de jeunes fèves
5 cl d'huile végétale
Sel
Poivre

Découpez le jarret en grosses tranches. Disposez-les dans la marmite du couscoussier. Arrosez d'huile. Ajoutez les oignons émincés. Ajoutez ensuite les bouquets de coriandre et de persil ficelés. Assaisonnez la viande avec le colorant safran, le gingembre, les pistils de safran, sel et poivre. Mouillez avec 2 l d'eau. Portez à ébullition.

Disposez la semoule dans un grand plat. Aspergez-la d'un filet d'eau froide, et travaillez-la du bout des doigts, en l'égrainant. Versez-la dans la passoire et posez le tout sur la marmite de viande. Faites cuire 20 min.

Après ce temps, transférez la semoule dans un plat. Du bout des doigts, travaillez-la avec un morceau de smen. Remettez la semoule dans la passoire et refaites-la cuire 20 min à la vapeur du couscoussier.

Hors du feu, travaillez-la de nouveau avec le smen. Ajoutez les fèves dans la sauce de la viande. Procédez à une dernière cuisson de 20 min. Versez la semoule dans un plat de service. Surmontez-la avec le jarret et les fèves. Servez la sauce à part.

Bon à savoir :

Pour assurer l'étanchéité du couscoussier, prenez la précaution d'entourer la jonction entre les deux récipients avec un cordon de papier d'aluminium noué aux deux extrémités. Notre chef agrémente son jarret aux jeunes fèves. Comme des pois gourmands, elles sont mises à cuire dans la sauce et servies entières. Aussi, vous n'aurez pas besoin de les écosser, et le résultat sera très décoratif.

Couscous d'agneau aux légumes

6 personnes
Facile
Préparation : 40 min
Cuisson : 1 h 15
Trempage des pois chiches : 12 h

Ingrédients

1 kg d'épaule d'agneau
1 kg de semoule moyenne
150 g de carottes
150 g de navets
150 g de courgettes
250 g d'aubergines
1 chou blanc
200 g de potiron
150 g de pois chiches
200 g de tomates
100 g d'oignons
1/2 cuillère à café de gingembre
1 sachet de colorant rouge
2 branches de coriandre
2 branches de persil
1 cuillère à café de beurre salé
Huile d'arachide, sel

Coupez l'épaule d'agneau en 4 morceaux égaux. Faites-les revenir 5 min à la poêle dans 1 c. à s. d'huile, sans laisser colorer. Épluchez aubergines, oignons, courgettes, potiron, navets et carottes. Coupez tous ces légumes en gros cubes. Émincez le chou.

Épluchez les tomates et hachez-les ainsi que la coriandre et le persil. Disposez la viande dans le fond du couscoussier avec les tomates, oignons, pois chiches trempés la veille, gingembre, colorant rouge, coriandre, persil, sel et poivre. Arrosez avec 50 cl d'eau et 1 verre d'huile. Laissez cuire 10 min.

Ajoutez alors les navets et les carottes sur l'épaule d'agneau. Salez. Arrosez de 2 l d'eau. Disposez la semoule dans un grand plat. Ajoutez du sel et un filet d'huile. Travaillez du bout des doigts, tout en ajoutant 50 cl d'eau froide et le beurre salé. Versez la semoule dans le panier supérieur du couscoussier. Laissez cuire 20 min.

Versez-la dans un plat et travaillez en l'humidifiant. Reversez la semoule dans le couscoussier et refaites 2 fois l'opération. À mi-cuisson, ajoutez aubergines, potiron et courgettes dans le panier inférieur. Achevez de cuire. Dressez la semoule et recouvrez de légumes et de viande.

Bon à savoir :

Le couscous d'agneau aux légumes représente la variété la plus répandue. La semoule sera longuement travaillée avec de l'eau salée, additionnée de beurre, en 3 phases successives de 20 min. Le chef vous conseille d'humidifier la semoule "juste ce qu'il faut" pour pouvoir la passer à la vapeur. Après chaque phase de cuisson, ressortez la semoule du couscoussier et travaillez-la en l'humidifiant légèrement.

Couscous d'Alger à l'espadon

4 personnes
Facile
Préparation : 20 min
Cuisson : 1 h 10
Trempage des pois chiches : 12 h

Ingrédients

500 g de couscous fin
4 tranches d'espadon
1 gros oignon
50 g de pois chiches
1/2 cuillère à café de cannelle
50 g de beurre
4 cuillères à soupe de d'huile végétale
Sel
Poivre

Épluchez et hachez l'oignon puis faites-le revenir avec un peu d'eau et 2 c. à s. d'huile. Ajoutez la cannelle, le sel et le poivre. Laissez cuire 10 min.

Mouillez d'eau à hauteur et ajoutez les pois chiches trempés la veille. Faites cuire 30 min. Déposez les darnes d'espadon. Faites cuire 10 min.

Versez la semoule dans un plat. Fraisez-la avec 2 c. à s. d'huile et un peu d'eau. Faites cuire 10 min à la vapeur. Renouvelez l'opération de fraisage en ajoutant un peu d'eau. Salez.

Faites cuire de nouveau 10 min. Déposez la semoule cuite dans un plat. Enduisez-la de beurre. Fraisez de nouveau. Dressez le couscous au poisson.

Bon à savoir :

La région d'Alger est réputée pour la qualité de ses produits marins. En fonction de l'arrivage, les habitants confectionnent ce succulent couscous avec de l'espadon. Il possède une chair excellente très tendre, qui rappelle celle du thon. Avant de le consommer, il est préférable de le laisser reposer quelques jours afin que sa texture s'attendrisse. Notre chef vous suggère de réaliser à l'occasion cette recette avec du cabillaud.

Couscous d'automne aux poissons et aux coings

4 personnes
Difficile
Préparation : 1 h
Cuisson : 50 min
**Trempage des pois
chiches : 12 h**

Ingrédients

800 g de mérou
150 g d'oignons
20 g de concentré de
tomates
100 g de pois chiches
100 g de raisins sec blonds
2 coings, 1/2 citron
20 cl d'huile
400 g de semoule fine
5 g de beurre salé
Cannelle en poudre
Boutons de rose en poudre
Sel, poivre

Décoration :

2 piments verts
2 piments rouges
Huile de friture

Épluchez et hachez les oignons. Faites chauffer de l'huile dans le fond du couscoussier, faites revenir les oignons. Ajoutez le concentré de tomates et 1/2 verre d'eau froide. Laissez mijoter. Débitez le mérou en darnes. Salez, poivrez et retournez les darnes dans l'assaisonnement.

Mettez le poisson dans la sauce tomate. Ajoutez les pois chiches trempés. Laissez mijoter. Coupez les coings en quartiers, sans les éplucher. Retirez le cœur et les pépins. Frottez avec le citron leur chair pour empêcher quelle ne noircisse. Plongez le tout dans un saladier d'eau froide.

Dans un plat, humectez la semoule avec de l'eau froide. Ajoutez les coings dans la sauce tomate, portez à ébullition. Quand la vapeur remonte dans le couscoussier, bouchez les trous de la passoire avec quelques graines de couscous. À la seconde remontée de vapeur, ajoutez le reste de couscous. Laissez cuire 15 min.

Lorsque le couscous se détache des parois, transférez-le dans un plat. Travaillez la graine avec un peu d'eau froide. Ajoutez les raisins secs dans le fond de sauce. Versez un peu de couscous dans la passoire, et faites comme précédemment. Laissez cuire 15 min.

Bon à savoir :

Lorsque vous plongerez le poisson dans la sauce, veillez à ce que celle-ci ne soit pas bouillante, pour qu'il ne soit pas saisi et laisse échapper doucement ces sucs. Ajoutez dans la sauce la tête du poisson, pour enrichir sa consistance et ses parfums. À la fin de la cuisson, Versez la semoule dans un plat. Parfumez-la de cannelle, poudre de rose et beurre. Humidifiez avec un peu de sauce du poisson. Dressez le couscous, décorez de piments frits.

Couscous de Bizerte au mérou

4 personnes
Très facile
Préparation : 20 min
Cuisson : 50 min
Trempage des pois chiches : 12 h

Ingrédients

500 g de mérou
500 g de semoule fine
100 g de pois chiches
1 oignon
2 piments verts
300 g de chou blanc
300 g de courgettes
200 g de pommes de terre
200 g de tomates pelées
2 oignons frais
1 piment rouge (facultatif)
100 g de concentré de tomates
50 g de harissa
5 g de paprika
5 g de cumin en poudre
20 g de beurre salé
25 cl d'huile d'olive
Sel, poivre noir

Versez dans la marmite du couscoussier 20 cl d'huile d'olive. Faites revenir pendant environ 10 min, l'oignon coupé en lamelles, le concentré de tomates, la harissa et le paprika. Ajoutez les tomates pelées, les pommes de terre épluchées et les pois chiches trempés la veille.

Mouillez les légumes avec 2 litres d'eau et portez à ébullition. Salez la semoule et versez le restant d'huile d'olive. Malaxez avec les mains et ajoutez de l'eau. Laissez reposer environ 5 min.

Fraisez la semoule et mettez-la dans la passoire du couscoussier. Laissez cuire environ 25 min et réservez. Ajoutez dans le bouillon le chou coupé en 2, les courgettes coupées en tronçons, les oignons frais, les piments verts et le rouge.

Assaisonnez les darnes de mérou avec le sel, le poivre et le cumin. Mettez-les dans le bouillon. Laissez cuire environ 15 min. Incorporez le beurre salé dans la semoule. Mélangez avec les mains. Versez dessus le bouillon en commençant par la graisse. Dressez le couscous dans les assiettes.

Bon à savoir :

La cuisson du poisson, relativement courte, ne permet pas au bouillon de s'aromatiser parfaitement. Le chef vous suggère d'incorporer la tête au début de la mise en cuisson. Cette astuce permettra d'imprégner et de parfumer les autres ingrédients. Si chaque couscous se dévoile différent par le choix de ses légumes, on retrouve dans la plupart des recettes les pois chiches. N'oubliez pas de les tremper au moins 12 h.

Couscous de homard à la crème de cresson

4 personnes
Facile
Préparation : 50 min
Cuisson : 55 min

Ingrédients

2 homards de 1,5 kg chacun
2 bottes de cresson
500 g de semoule fine
1 oignon
1 pointe de gingembre en poudre
250 g de petits oignons frais
1 botte de persil
1 botte de coriandre
50 cl de crème fraîche liquide
150 g de beurre
3 cuillères à soupe d'huile végétale
Sel
Poivre

Décoration :

1 branche de cresson

Préparez la semoule en la mélangeant du bout des doigts, avec 3 c. à s. d'huile végétale. Versez un peu d'eau et fraisez-la. Dans la marmite du couscoussier, faites chauffer de l'eau avec l'oignon ciselé, la moitié du persil et de la coriandre ciselés. Salez.

À ébullition, faites cuire la semoule, 15 min. Mouillez-la de nouveau d'eau. Faites-la cuire 15 min. Renouvelez 1 fois l'opération. Lavez les 2 bottes de cresson. Effeuillez 1 botte. À l'aide d'un pilon, écrasez les feuilles dans un mortier.

Filtrez le bouillon de la marmite du couscoussier et réservez. Coupez les homards dans le sens de la longueur en commençant par la tête. Cassez les pattes. Épluchez les petits oignons frais et hachez-les. Faites-les suer avec 100 g de beurre. Ajoutez le restant de coriandre et persil ciselés, le gingembre, le cresson pilé. Salez, poivrez.

Disposez les homards. Versez un peu de bouillon. Faites cuire environ 5 min. Réservez les homards. Ajoutez la crème fraîche et le cresson en branche. Faites réduire la sauce au 3/4. Remettez les homards. Mélangez la semoule avec le restant de beurre. Dressez le couscous.

Bon à savoir :

Sur les étals, le homard est toujours présenté vivant. Il doit impérativement remuer les pattes et posséder une carapace intacte. Pensez à retirer la poche à gravier, située à la naissance de la tête et les intestins positionnés sous la queue. Selon vos goûts ou budget, vous pouvez opter pour de la langouste ou des écrevisses. Choisissez le cresson très frais, les tiges et les feuilles bien vertes. Il se conserve 1 jour au réfrigérateur.

Couscous de Monastir au cherkaw

4 personnes
Facile
Préparation : 15 min
Cuisson : 1 h

Ingrédients

700 g de cherkaw
500 g de couscous
2 oignons
7 cuillères à soupe d'huile d'olive
100 g de concentré de tomates
50 g de harissa
4 piments verts
200 g de potiron
4 pommes de terre
Sel
Poivre

Épluchez les oignons, hachez-les et faites-les blanchir dans 4 c. à s. d'huile d'olive. Ajoutez la moitié de la harissa et le concentré de tomates. Salez et poivrez. Ajoutez les piments entiers. Mouillez avec 1 l d'eau. Assaisonnez les poissons de sel, de poivre et du restant de la harissa.

Humidifiez avec 15 cl d'eau la graine de couscous et ajoutez 3 c. à s. d'huile d'olive. Mélangez. Disposez les petits poissons dans le fond du panier du couscoussier. Recouvrez-les de la graine de couscous humidifiée, posez le panier sur la marmite du couscoussier.

Dès que la vapeur d'eau se dégage du panier du couscoussier, comptez 30 min de cuisson. Épluchez les pommes de terre et le potiron. Dégagez 4 morceaux de potiron de taille égale. Mettez-les en cuisson dans la marmite du couscoussier en les plongeant dans le bouillon avec les piments.

Séparez les poissons du couscous. Égrainez le couscous. Présentez-le en dôme mouillé d'un peu de bouillon, surmontez-le des légumes de votre choix et des petits poissons. Servez chaud. Présentez à part le restant du bouillon avec ses légumes.

Bon à savoir :

Le "couscous de Monastir au cherkaw" est le plat vedette de cette région de Tunisie. Il met à l'honneur de succulents petits poissons argentés surnommés cherkaw. En Europe, vous les remplacerez par d'autres petits poissons baptisés blanchaille ou par lesdits éperlans. Pour une décoration optimale, utilisez un emporte-pièce pour façonner une jolie pièce de potiron.

Couscous de Tlemcen

4 personnes
Très facile
Préparation : 40 min
Cuisson : 1 h 15
Trempage des pois chiches : 12 h

Ingrédients

4 morceaux de gigot d'agneau
500 g de couscous fin
3 carottes, 3 navets
3 courgettes
80 g de pois chiches
1 oignon, 1 tomate
1 botte de coriandre
1 cuillère à soupe de concentré de tomates
1 cuillère à café de paprika
1 cuillère à café de ras-el-hanout
1 dose de safran en poudre
70 g de beurre
5 cuillères à soupe d'huile
Sel, poivre

Épluchez les carottes et les navets, lavez les courgettes. Coupez les légumes en 2. Disposez la viande dans le couscoussier avec 3 c. à s. d'huile. Salez, poivrez. Ajoutez l'oignon haché, le paprika, le safran, le ras-el-hanout. Faites mijoter 15 min.

Ajoutez la tomate réduite en purée, le concentré, la coriandre ciselée. Mouillez d'eau à hauteur. Déposez les pois chiches trempés la veille. Faites cuire 30 min.

Déposez les carottes et les navets. Faites cuire 20 min. Ajoutez les courgettes. Laissez cuire 10 min. Versez les graines de couscous dans un plat. Versez un peu d'huile. Égrenez. Ajoutez le sel et un peu d'eau. Fraisez.

Faites cuire à la vapeur du couscoussier 20 min. Sortez la semoule et versez-la dans un plat. Renouvelez l'opération de fraisage entre chaque cuisson 2 à 3 fois. Enduisez-la de beurre. Dressez le couscous.

Bon à savoir :

Plat de fête par excellence, ce couscous de Tlemcen se prépare pour honorer des convives. Judicieusement parfumé, il se distingue par l'emploi des épices. Si le safran et le ras-el-hanout se révèlent indispensables pour l'élaboration de ce couscous, vous pouvez en revanche utiliser différents morceaux d'agneau comme l'épaule, la selle ou le collier. Vous pourrez le remplacer par du poulet, du bœuf ou encore du veau.

Couscous farfoucha

4 personnes
Très facile
Préparation : 25 min
Cuisson : 40 min

Ingrédients

200 g de semoule moyenne
500 g de verts de fenouil
2 gousses d'ail
2 tomates
4 oignons frais
1 cuillère à soupe de harissa
2 cuillères à soupe de
concentré de tomates
4 piments rouges séchés
1 cuillère à soupe de carvi
en poudre
1 cuillère à soupe de
coriandre en poudre
10 cl d'huile d'olive
Sel

Confectionnez la sauce en coupant grossièrement les tomates et en éminçant les oignons. Faites chauffer 10 cl d'huile d'olive et ajoutez les tomates et oignons. Remuez et incorporez le concentré de tomates, les gousses d'ail écrasées et la harissa. Faites rissoler environ 5 min.

Faites tremper les piments rouges dans de l'eau 5 min. Ajoutez-les à la sauce. Mouillez la semoule à l'eau froide. Assaisonnez la sauce avec le sel, la coriandre et le carvi. Ajoutez un verre d'eau. Laissez mijoter à feu doux jusqu'à l'évaporation complète de l'eau. Sortez les piments et réservez-les pour la décoration.

Lavez à grande eau les verts de fenouil et coupez-les en petits morceaux. Remplissez le fond du couscoussier d'eau, portez à ébullition et faites cuire à la vapeur dans la partie supérieure, les verts de fenouil entre 10 et 15 min. Ajoutez la semoule sur les verts de fenouil et continuez à cuire à la vapeur 15 min.

En fin de cuisson, retirez le couvercle et laissez reposer. Versez la semoule et les verts de fenouil dans un récipient et mélangez avec 2 spatules en bois. Arrosez avec la sauce et mélangez. Dressez dans un plat, le couscous farfoucha. Décorez avec les piments.

Bon à savoir :

Ce couscous végétarien se révèle délicat et très rafraîchissant au goût. Dans cette préparation, vous utilisez uniquement les verts de fenouil qui, une fois cuits sont incorporés et mélangés à la semoule. Si vous éprouvez des difficultés pour vous en procurer, vous pouvez les remplacer par de l'aneth frais. La semoule doit être humidifiée et cuite à la vapeur du couscoussier 15 min.

Couscous ibrine ā la queue de bœuf

4 personnes
Très facile
Préparation : 35 min
Cuisson : 1 h 30

Ingrédients

800 g de semoule d'orge
2,5 kg de queue de bœuf
200 g de tomates
300 g de carottes
200 g d'oignons
200 g de courgettes
180 g de navets
1 botte de coriandre
1 cuillère à café de paprika
1 cuillère à café de smen
(beurre rance)
6 cuillères à soupe d'huile
d'olive
Sel
Poivre

Épluchez les courgettes, carottes, navets, oignons. Lavez les tomates. Taillez tous les légumes dans le sens de la longueur. Ficelez la botte de coriandre. Découpez la queue de bœuf à chaque jointure.

Dans la marmite du couscoussier, mettez les morceaux de bœuf, d'oignons et la botte de coriandre. Salez, poivrez. Ajoutez le paprika. Mouillez à hauteur et faites cuire entre 1 h et 1 h 30. À ébullition, mettez la semoule d'orge dans la passoire du couscoussier. Faites-la cuire à la vapeur environ 5 min.

Rincez à l'eau claire, la semoule. Égouttez-la. Mettez un peu d'huile d'olive. Travaillez à la main la semoule. Laissez-la gonfler. Remettez-la en cuisson 15 min. Renouvelez l'opération en ajoutant de l'eau et de l'huile d'olive. Faites cuire 20 min. Salez.

Au 3/4 de la cuisson du couscous, ajoutez les légumes. Laissez cuire. 10 min avant la fin de la cuisson, ajoutez les tomates et 1 pointe de beurre rance. Mettez dans la semoule le restant de beurre rance et travaillez-la à la main. Dressez le couscous ibrine dans un plat. Présentez le bouillon dans un bol.

Bon à savoir :

Les Berbères emploient le mot ibrine pour désigner la semoule d'orge. La réussite du couscous passe impérativement par le travail de la semoule. Elle doit cuire à plusieurs reprises dans le keskess, partie haute du couscoussier. En cours de préparation, vous devrez la fraiser avec de l'huile d'olive et de l'eau. Quant à la queue de bœuf, une cuisson douce et prolongée permet de libérer la gélatine.

Couscous Kabyle aux petits pois

4 personnes
Facile
Préparation : 1 h
Cuisson 1 h 10

Ingrédients

500 g de couscous fin
1 kg de petits pois
200 g de beurre
3 cuillères à soupe d'huile
d'olive
Sel

Écossez les petits pois avec les doigts. Faites cuire les petits pois à la vapeur, environ 10 min.

Déposez le couscous dans un plat. Versez l'huile d'olive et un peu d'eau. Fraisez la graine avec les mains. Faites cuire le couscous à la vapeur 20 min.

Transvasez-le dans un plat et fraisez avec un verre d'eau. Salez. Faites cuire de nouveau à la vapeur 20 min. Déposez les petits pois dans la partie haute du couscoussier et recouvrez-les de semoule.

Faites cuire à la vapeur 20 min. Arrosez les graines de beurre clarifié. Fraisez de nouveau. Dressez dans les assiettes le couscous Kabyle.

Bon à savoir :

Le couscous que nous vous proposons de découvrir comblera les amateurs de mets végétariens. Ce plat printanier met incontestablement en vedette le petit pois. Présent dès le printemps, il demeure sur les étals des marchés jusqu'à l'été. Choisissez des cosses bien formées et remplies d'une jolie couleur verte. Sachez également qu'elles se conservent que 2 jours au réfrigérateur. Vous pouvez éventuellement les remplacer par de jeunes fèves.

Couscous Sétifien

4 personnes
Très facile
Préparation : 1 h
Cuisson : 1 h 30

Ingrédients

500 g de couscous fin
4 morceaux de gigot avec os
1 gros oignon
2 tomates
1 cuillère à soupe de
concentré de tomates
1/2 cuillère à café de
coriandre moulue
1 cuillère à café de paprika
1 piment vert
2 gousses d'ail
1 botte de coriandre
2 courgettes moyennes
2 carottes
2 navets
Quelques cardes
25 g de beurre rance (d'hen)
50 g de pois chiches
4 cuillères à soupe d'huile
végétale
Sel, poivre

Disposez dans la marmite, la viande, l'oignon haché, l'ail et la coriandre moulue pilés, les tomates râpées, le sel, le poivre et 2 c. à s. d'huile. Faites revenir 8 min. Ajoutez la coriandre hachée et le paprika.

Épluchez les carottes, navets, courgettes et nettoyez les cardes. Coupez les légumes. Dans la viande, ajoutez le concentré de tomates, les pois chiches trempés la veille et 1 l d'eau. Faites cuire 20 min. Fraisez la semoule avec 2 c. à s. d'huile et un peu d'eau.

Dans la préparation de la viande, ajoutez les carottes et le piment. Couvrez. Faites cuire 20 min. Versez la semoule dans la partie haute du couscoussier. Faites cuire à la vapeur 10 min. Fraisez de nouveau avec de l'eau et salez. Remettez à cuire à la vapeur 10 min.

Déposez dans la préparation de la viande les navets et cardes. Faites cuire 20 min. Ajoutez les courgettes. Poursuivez la cuisson 10 min. Retirez la semoule. Enduisez-la de beurre. Fraisez-la. Dressez le couscous.

Bon à savoir :

La difficulté réside dans l'art de fraiser le couscous. Vous devez impérativement le travailler à la main. Dans un premier temps, déposez les graines dans un grand plat et malaxez avec de l'huile végétale et un peu d'eau. Faites cuire à la vapeur 20 min. Transvasez de nouveau la semoule. Salez et fraisez encore une fois en la mouillant d'eau. Remettez ensuite 20 min de cuisson. Ce plat se déguste accompagné de petit-lait.

Couscous t'faya au poulet

4 personnes
Facile
Préparation : 45 min
Cuisson : 1 h 50

Ingrédients

350 g de semoule
3 cl d'huile
1 poulet de 1,2 kg

Marinade :

300 g d'oignons
1 pincée de gingembre en poudre
2 pincées de safran
10 cl d'huile d'olive
20 g de persil plat
20 g de coriandre fraîche
Sel, poivre

T'faya :

200 g de raisins secs blonds
50 g de sucre semoule
5 g de cannelle en poudre
1 cl d'eau de fleur d'oranger
30 g de beurre
4 oignons
Poivre

Découpez d'abord les cuisses du poulet. Ouvrez-le dans la longueur. Tranchez l'os de la colonne vertébrale. Recoupez chaque morceau en 2 ou en 4. Rincez-les bien à l'eau froide, essuyez-les.

Préparez la marinade : épluchez et hachez les oignons, persil et coriandre. Mélangez le tout dans une terrine. Salez, poivrez. Ajoutez 1 pincée de gingembre, de safran et un filet d'huile d'olive. Déposez les morceaux de poulet dans une marmite nappée d'huile. Faites-les revenir quelques instants à feu vif.

Ajoutez la marinade sur le poulet. Mélangez. Saupoudrez d'1 pincée de safran. Faites cuire 20 à 25 min. Versez la semoule dans un plat creux. Arrosez-la d'un filet d'huile et d'un peu d'eau. Travaillez-la à la main. Faites-la cuire 3 fois 20 min à la vapeur, en la travaillant avec du sel et de l'eau entre chaque cuisson.

Pour la t'faya, faites revenir à l'huile les oignons émincés. Ajoutez les raisins secs, cannelle, poivre et beurre. Tournez un instant sur feu vif. Mouillez à hauteur. Ajoutez l'eau de fleur d'oranger. Mettez à cuire 15 min. À mi-cuisson, ajoutez le sucre. Achevez de cuire. Dressez le couscous.

Bon à savoir :

Une semoule de blé dur de calibre moyen conviendra parfaitement à ce couscous. Après avoir découpés les morceaux de poulet, prenez la précaution de les rincer à l'eau froide. Il est nécessaire de bien les frotter avec les doigts sous l'eau du robinet, pour enlever les résidus de sang et les impuretés. Si le poulet sèche en cuisant et attache au fond, n'hésitez pas à ajouter un peu d'eau, mélangez et continuez la cuisson.

Couscous Tunisien au poisson

4 personnes
Préparation : 30 min
Cuisson : 1 h
Marinade du poisson : 10 min

Ingrédients

500 g de semoule
1 mulet de 1,2 kg
80 g de pois chiches cuits
80 g de raisins secs blonds
4 poivrons rouges
6 oignons
4 tomates fraîches
1/2 cuillère à soupe de concentré de tomates
1 gousse d'ail
1 pincée de cumin
1 pincée de safran
Huile d'olive
Sel, poivre

Marinade :

1 gousse d'ail
1 pincée de safran
1 pincée de cumin
Huile d'olive
Sel, poivre

Mélangez dans un plat la semoule avec l'huile d'olive et le sel. Versez un peu d'eau dans votre main, dispersez-la sur la semoule et ainsi de suite jusqu'à épaississement. Mettez de l'eau à chauffer dans la marmite du couscoussier.

Lorsqu'elle bout, versez la semoule dans le panier supérieur, faites cuire 30 min à la vapeur. Coupez le poisson en 4 tranches, épluchez l'ail et hachez-le. Dans un plat, mélangez le poisson avec le sel, poivre, ail, safran, cumin et huile d'olive. Laissez mariner 10 min.

Épluchez 6 oignons, hachez-en 4 et coupez les 2 autres en quartiers. Faites revenir les oignons hachés à l'huile. Mixez les tomates avec le concentré, versez sur les oignons. Laissez revenir 2-3 min, puis ajoutez 2 l d'eau, cumin, safran, ail haché, sel et poivre. Laissez cuire 10 min.

Versez alors dans la sauce le poisson, les quartiers d'oignons, les poivrons coupés en filets, les pois chiches et les raisins secs. Laissez cuire encore 10 min. Retirez le poisson cuit de la sauce. Réservez raisins et pois chiches à part. Arrosez la semoule avec la sauce. Mélangez 5 min sur feu doux jusqu'à ce que les graines aient bu le jus. Dressez le couscous dans un plat.

Bon à savoir :

Notre chef vous conseille, pour donner plus de goût à votre préparation de faire cuire les têtes de poisson avec la chair. Votre semoule gagnera également en saveur si vous lui ajoutez une pincée de cannelle. Vous servirez le couscous avec de petites salades de fenouil au vinaigre ou de navets violets salés, parfumés au citron et à la harissa.

Dchicha soussia

6 à 8 personnes
Facile
Préparation : 1 h
Cuisson : 50 min

Ingrédients

2 kg de dchicha (semoule)
50 cl d'huile d'argane
1,5 kg de jarret de veau
désossé
500 g de carottes
500 g de navets
500 g d'oignons
500 g de courgettes
500 g de chou blanc
500 g de tomates
250 g de courge rouge
1 bouquet de persil plat
1 bouquet de coriandre
1 pincée de paprika
1 pincée de gingembre en
poudre
1 pincée de colorant safran
Sel
Poivre

Grattez les carottes, coupez-les en demi-tronçons. Épluchez les navets, coupez-les en quartiers ainsi que le chou. Cannelez les courgettes, détaillez-les en bâtonnets. Prélevez un quartier de courge, épluchez-le et découpez-le grossièrement. Émincez les oignons.

Versez la dchicha dans un plat. Du bout des doigts, travaillez-la en ajoutant un peu d'eau chaude au fur et à mesure. Versez l'huile d'argane en pluie dans la dchicha. Travaillez de nouveau avec les doigts.

Dans la marmite du couscoussier, faites saisir le jarret de veau. Ajoutez les oignons émincés. Puis mouillez pour préparer le bouillon. Portez à ébullition. Versez la dchicha dans la passoire du couscoussier. Posez-la sur la marmite basse, couvrez, et faites cuire pendant 15 min à la vapeur.

Parsemez la viande de sel, poivre, gingembre, paprika et colorant. Ajoutez navets, carottes et un grand verre d'eau. Faites cuire la dchicha en 2 autres phases de 15 min, et travaillez-la avec eau froide et huile entre chaque cuisson. À mi-cuisson des légumes, ajoutez courgettes, demi-tomates, courge, chou, bouquet de persil et coriandre. Achevez la cuisson. Dressez la semoule dans un plat, surmontez de viande et entourez de légumes.

Bon à savoir :

L'appellation de cette recette provient de la semoule. À base d'orge, les grains de la dchicha sont finement concassés. Pour la perfection de la recette, vous commencerez par malaxer longuement la semoule avec de l'eau tiède, du bout des doigts jusqu'à ce que tous les grains soient imbibés et un peu gonflés. C'est à ce moment-là que vous ajouterez l'huile d'argane. Laissez reposer la semoule pour qu'elle absorbe suffisamment l'eau et l'huile.

Douceur de la mariée

4 personnes
Facile
Préparation : 45 min
Cuisson : 30 min

Ingrédients

500 g de couscous fin
100 g de sucre
120 g de poudre d'amandes
50 g de noix concassées
50 g de pistaches
concassées
50 g de pignons de pin
75 g de raisins secs blonds
2 pincées de cannelle
4 cuillères à soupe d'eau de
jasmin, de rose ou de fleur
d'oranger
50 g de beurre
1 filet d'huile d'arachide
1 pincée de sel

Décoration :

1 cerneau de noix
2 cuillères à soupe de
pistaches moulues

Mettez les raisins secs à gonfler dans un peu d'eau. Versez le couscous dans un plat large, arrosez d'huile et de 10 cl d'eau, puis fraiser 3 à 5 min. Versez dans le couscoussier et faites cuire 10 min.

Transvasez la graine cuite dans le plat, fraisez de nouveau avec le sel et 10 cl d'eau. Laissez refroidir 10 min. Égouttez les raisins secs, et parsemez-les dans le haut du couscoussier. Recouvrez avec la graine. Faites cuire de nouveau 10 min.

Versez de nouveau la graine dans le plat large, avec les raisins. Mélangez de manière homogène, sans ajouter ni huile, ni eau. Procédez à une 3 ème cuisson. Faites fondre le beurre à feu doux, écumez, puis versez dans un bol en veillant à laisser les particules qui se seront déposées dans le fond de la casserole.

Versez la graine cuite dans le plat, arrosez de beurre clarifié et mélangez. Arrosez avec l'eau de jasmin. Faites dorer les pignons dans une poêle à sec. Incorporez-les au couscous avec la poudre d'amandes, les noix et les pistaches concassées, le sucre et la cannelle. Dressez le couscous.

Bon à savoir :

Ce couscous sucré est proposé à la jeune fille le jour de ses noces. Ce plat est une variante du mesfouf, un couscous sucré aux raisins secs. Vous pouvez remplacer les noix par des noisettes concassées, et utiliser les pignons tels que, sans les griller. Les raisins blonds, particulièrement moelleux, pourront laisser leur place à du raisin frais vert ou rouge. Vous pouvez les remplacer également pas des morceaux de dattes.

La couseïla de Rafik Tlatli

4 personnes
Facile
Préparation : 20 min
Cuisson : 40 min

Ingrédients

200 g de semoule moyenne
4 côtelettes d'agneau
2 cuisses de poulet
3 calamars
8 grosses crevettes
300 g de moules cuites
2 tranches de mérou
4 piments doux verts
3 tomates, 1 oignon
2 gousses d'ail
2 cuillères à soupe de
concentré de tomates
1/2 cuillère à café de
cannelle en poudre
1/2 cuillère à café de
boutons de rose séchés
10 cl d'huile d'olive
Sel, poivre

Décoration :

Olives noires dénoyautées

Dans une poêle épaisse et profonde, faites revenir, avec 10 cl d'huile d'olive, les côtelettes d'agneau et les cuisses de poulet, environ 5 min. Découpez les cuisses en petits morceaux. Réservez les viandes.

Dans la poêle, faites revenir 5 min, séparément, le mérou coupé en cubes, les crevettes et les calamars nettoyés de leur peau et coupés en rondelles. Réservez. Toujours dans la même poêle, faites rissoler l'oignon émincé, les gousses d'ail hachées, les tomates coupées en cubes et les piments verts coupés en rondelles.

Laissez légèrement compoter et ajoutez le concentré de tomates. Continuez la cuisson à feu doux. Versez un verre d'eau et laissez mijoter environ 3 min. Remettez les viandes, le poisson, les calamars et les crevettes. Assaisonnez avec le sel, le poivre, la cannelle, les boutons de rose. Avant de faire réduire, réservez les crevettes pour la décoration.

Préparez la semoule en la mouillant à l'eau froide et faites-la cuire à la vapeur du coucoussier 15 min. Versez la semoule en pluie dans la préparation. Mélangez. Réchauffez les moules. Présentez la couseïla dans un plat.

Bon à savoir :

Dans cette paella orientale, la semoule remplace le traditionnel riz. Avant d'être versée en pluie, cette dernière doit être humidifiée puis cuite dans le couscoussier, 15 min à la vapeur. La couseïla de Rafik Tlatli est une création originale qui rassemble dans les assiettes les saveurs et les parfums du bassin méditerranéen.

Le couscous saffa

4 personnes
Facile
Préparation : 50 min
Cuisson : 1 h

Ingrédients

300 g de semoule fine
100 g de semoule moyenne
5 gousses d'ail
300 g de tomates
300 g d'oignons
1,5 cuillère de concentré de tomates
4 piments forts
1 cuillère à café de carvi
1 cuillère à café de paprika
1 cuillère à café de curcuma
1 cuillère à café de harissa
10 cl d'huile d'olive
Huile végétale
Sel
Poivre

Dans un grand plat en aluminium, préparez la semoule moyenne en la mélangeant avec un peu d'eau. Étalez la semoule avec la paume de votre main et faites tourner les graines avec le bout des doigts. Ajoutez peu à peu la semoule fine tout en continuant à mélanger.

Versez un peu d'eau afin d'obtenir une semoule à grosse graine. Versez sur la semoule un filet d'huile végétale. Fraisez-la. Salez. Faites cuire la graine à la vapeur du couscoussier 15 min. Fraisez-la de nouveau et ajoutez un peu d'eau. Remettez la semoule en cuisson 15 min.

Faites revenir dans une casserole les oignons émincés et les tomates coupées en gros dés avec 10 cl d'huile d'olive. Ajoutez le carvi, le curcuma, le paprika, le sel, le poivre, le concentré de tomates et la harissa. Mélangez. Faites revenir le tout environ 20 min.

Ajoutez les gousses d'ail écrasées et les piments légèrement équeutés. Faites cuire environ 10 min. Enlevez les piments et réservez-les. Incorporez la semoule dans la sauce. Mélangez. Dressez le couscous dans un plat. Décorez avec les piments.

Bon à savoir :

L'originalité de ce plat d'automne réside dans la préparation de la semoule. En effet, deux grosseurs de graines sont utilisées, l'une moyenne et l'autre très fine. Ces dernières sont mélangées à un peu d'eau, et travaillées à la main, dans un plat rond en aluminium. Elles prennent ensuite la forme d'un grain de poivre. Si vous manquez de temps, notre chef vous suggère d'utiliser directement une semoule assez grosse.

Mesfouf

4 personnes
Facile
Préparation : 1 h
Cuisson : 1 h

Ingrédients

500 g de mesfouf (couscous très fin)
150 g de raisins secs noirs
200 g de beurre
3 cuillères à soupe d'huile végétale
Sel

Décoration :

2 cuillères à soupe de sucre roux
Dragées de couleur

Versez le mesfouf dans un plat. Imbibez-le d'huile et d'eau. Salez. Fraisez avec les doigts les graines. Versez de l'eau dans la marmite du couscoussier. Portez à ébullition.

Versez le mesfouf dans la partie haute. Faites cuire 20 min à la vapeur. Faites tremper les raisins dans de l'eau afin de les réhydrater. Verser la semoule dans un plat. Fraisez-la de nouveau avec de l'eau. Ajoutez une pincée de sel.

Déposez les raisins égouttés dans la partie haute. Versez la semoule sur les raisins. Faites cuire à la vapeur 20 min. Versez le mesfouf dans un plat. Fraisez les graines avec 50 g de beurre. Faites cuire de nouveau 20 min à la vapeur.

Déposez les graines dans un plat. Fraisez-les de nouveau avec le restant de beurre. Dressez le mesfouf. Décorez avec le sucre roux et les dragées.

Bon à savoir :

Ce couscous au beurre et aux raisins secs tire son nom de la graine très fine appelée en Algérie mesfouf. Cette spécialité met en vedette la graine de blé dur. Celle-ci est obtenue à partir de la mouture de la céréale. Les grains sont débarrassés des impuretés, humidifiés afin de faciliter la séparation du cœur du grain et de l'enveloppe, puis moulus. Le produit du broyage est alors tamisé et purifié par séparation du son pour obtenir la semoule.

ISBN : 2-916284-03-6
EAN : 9 782916 284033
Dépôt légal : mars 2006

Achevé d'imprimer en Espagne